Le Fonds d'Action Sacem partenaire de la collection «Mes Premières Découvertes de la Musique»

En accordant ses aides à tous les courants de la création musicale, le Fonds d'Action Sacem se donne également pour objectif de révéler la musique aux enfants. En s'associant à cette collection, le Fonds d'Action Sacem est heureux de mener de tout jeunes lecteurs vers le vaste et bel univers de la musique et de former ainsi le public de demain.

La Muse en Circuit est un centre de création musicale ayant également pour vocation la diffusion et la promotion des musiques d'aujourd'hui. Dans ce cadre, elle développe une activité de production de disques, de spectacles ainsi qu'une activité artistique de sensibilisation et de pédagogie musicale.

L'électroacoustique

Loulou & Pierrot-la-Lune et les drôles de sons

Écrit par Leigh Sauerwein
Illustré par Georg Hallensleben
Musique de Philippe Mion
Réalisé par Gallimard Jeunesse
avec le soutien du
conservatoire national de région
de Boulogne-Billancourt

GALLIMARD ♫ MES PREMIÈRES DÉCOUVERTES DE LA MUSIQUE

Tout là-haut sur la Lune,
vit la petite Loulou.
Elle est la fille de Pierrot-la-Lune.
Le jeu préféré de Loulou, c'est de sauter.
«Pas si haut Loulou ! dit son père sans arrêt.
Un de ces jours, tu partiras dans l'espace !»
Et un jour, Loulou saute trop haut.
Elle part dans l'espace en criant «youpi !»
en tournoyant comme une toupie.

«Voilà ! Ça y est ! Loulou a sauté dans l'espace !
crie la mère de Loulou. Va vite la rattraper !»
Pierrot-la-Lune court jusqu'au sommet
de la plus haute montagne de la Lune.
Là, d'un bond, il se lance dans la nuit.
«Loulou ! crie-t-il, en planant vers la Terre,
Loulou ! Où es-tu ? Réponds-moi !»
Mais il n'y a aucune réponse.

Pierrot-la-Lune plane vers la Terre
en tournoyant, en toupillonnant et en tournicotant…
«Où diable a-t-elle pu aller ? se demande-t-il.
Où diable vais-je la chercher ?»

Pierrot-la-Lune arrive sur la Terre.
Deux grandes créatures s'approchent de lui.
«Avez-vous vu ma petite Loulou ? demande-t-il. Elle saute, elle est toute bleue et blanche et elle brille dans la nuit. »
« Jamais vu ! grogne le cheval. Jamais vu, non, jamais vu ! »
« Dans un autre endroit… peut-être… vous devriez essayer, dit la vache avec plus de douceur.
J'ai entendu dire que le monde est bien grand.»

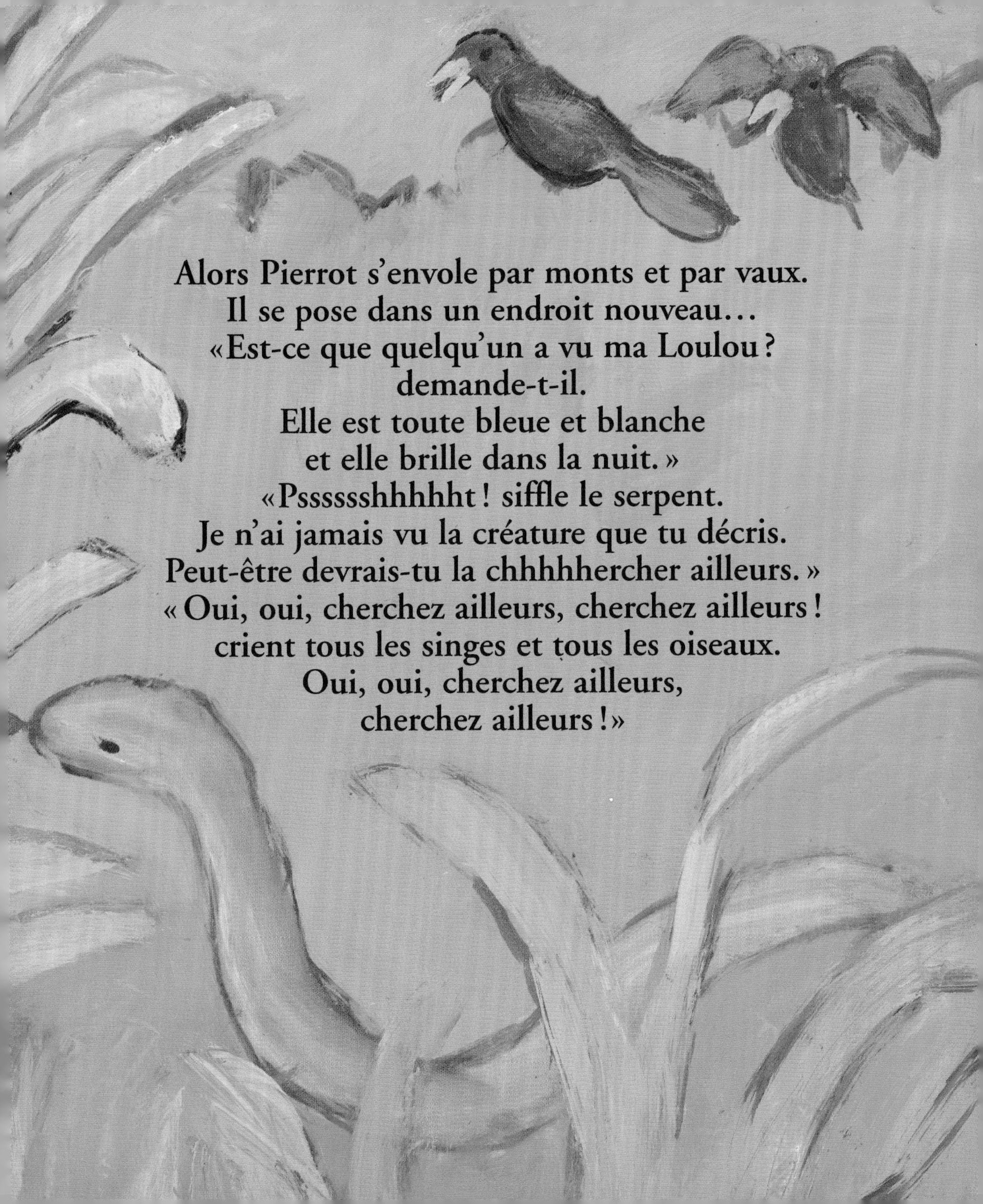

Alors Pierrot s'envole par monts et par vaux.
Il se pose dans un endroit nouveau…
«Est-ce que quelqu'un a vu ma Loulou ?
demande-t-il.
Elle est toute bleue et blanche
et elle brille dans la nuit.»
«Psssssshhhhht ! siffle le serpent.
Je n'ai jamais vu la créature que tu décris.
Peut-être devrais-tu la chhhhhercher ailleurs.»
« Oui, oui, cherchez ailleurs, cherchez ailleurs !
crient tous les singes et tous les oiseaux.
Oui, oui, cherchez ailleurs,
cherchez ailleurs !»

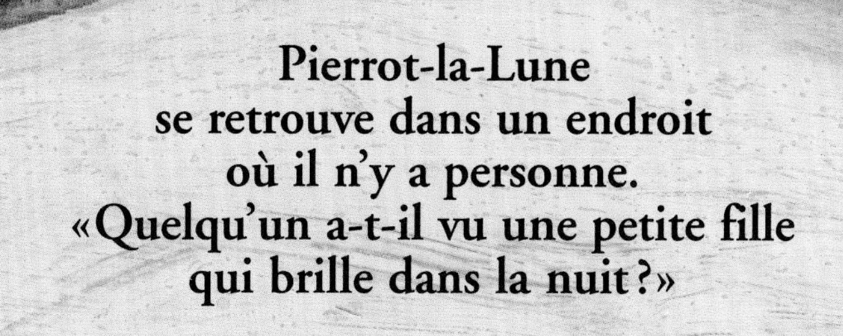

Pierrot-la-Lune
se retrouve dans un endroit
où il n'y a personne.
«Quelqu'un a-t-il vu une petite fille
qui brille dans la nuit ?»

Soudain, deux grandes oreilles sortent de l'ombre.
«Je vois une souris à des kilomètres,
répond le renard des sables.
Je suis sûr que ta fille n'est pas ici, mais je sais une chose,
ajoute-t-il sur un ton confidentiel,
la plus grande partie de la Terre est recouverte d'eau.
Tu pourrais essayer de ce côté-là.»

Pierrot plonge dans l'océan.
Tout au fond, il regarde
les gigantesques vallées de la mer.
«Je vois des baleines, j'entends chanter des dauphins,
mais aucune trace de Loulou...
peut-être que ce n'est plus la peine de chercher,
soupire-t-il,
peut-être que je ne la retrouverai plus jamais !»

Pierrot-la-Lune
se tient sur la pointe des pieds
au sommet d'une haute montagne.
Il va retourner dans la Lune. Il a renoncé.
Le vent souffle et pleure autour de lui.
Mais soudain, très très loin à l'horizon,
il voit quelque chose qui brille…
Cela ressemble, un peu, à Loulou !

Pierrot-la-Lune vole vers la ville, il descend sur elle.
Son cœur bat la chamade. Elles scintillent,
toutes les lumières, elles tournoient, elles virevoltent !
Soudain, il la voit, c'est Loulou !
Elle dort sur un tube de néon jaune.
«Loulou !» crie Pierrot-la-Lune.
«Papa! » répond-elle, en ouvrant les yeux.
Elle s'étire, elle bâille, elle se dresse sur la pointe des pieds.
«Je m'amusais tellement, tellement bien,
mais là, je commençais à croire
que tu ne viendrais jamais me chercher !»

«S'il te plaît, ma Loulou, ne saute plus de la Lune, chuchote-t-il.
C'était vraiment toute une affaire pour te retrouver.»
«D'accord, papa, je te le promets, répond-elle.»
Pierrot embrasse la joue brillante de Loulou.
«Rentrons à la maison maintenant, maman nous attend.»
Et il s'envole dans le ciel avec elle.
Bien serrés, l'un contre l'autre,
ils disparaissent entre les étoiles.

Dans cette musique, le compositeur fabrique les sons lui-même avec des machines, des instruments de musique ou tout simplement des objets. Ensuite, il mélange tous ces sons dans un ordinateur. Chacun des personnages de l'histoire de Loulou est «fabriqué» d'une certaine manière, avec des sons souvent inattendus…

Loulou qui saute

C'est un bout de fer assez lourd que l'on fait rebondir sur la corde aiguë d'une guitare. Le son est grossi, comme si on l'écoutait de très près.

Pierrot

Des petits couteaux sont frottés sur les lamelles d'un xylophone. Ensuite, le compositeur découpe le son en mille morceaux.

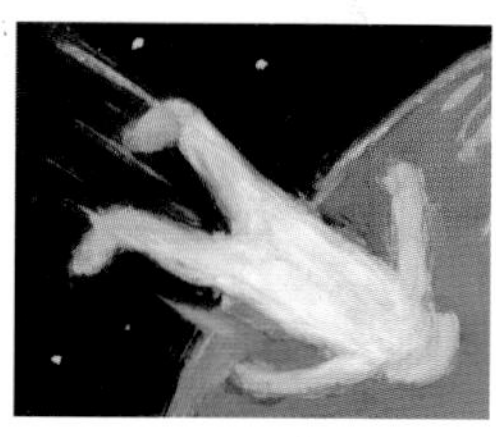

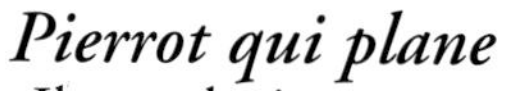

Pierrot qui plane

Il y a plusieurs sons très différents qui tombent lentement en glissant. Pour l'un d'entre eux, une éponge gratte sur la peau d'un tambour.

Le cheval

C'est une boule de pétanque, très lourde, qu'on fait rouler et cogner sur les cordes d'une guitare. Le compositeur étire le son et découpe les phrases pour fabriquer la petite danse du cheval.

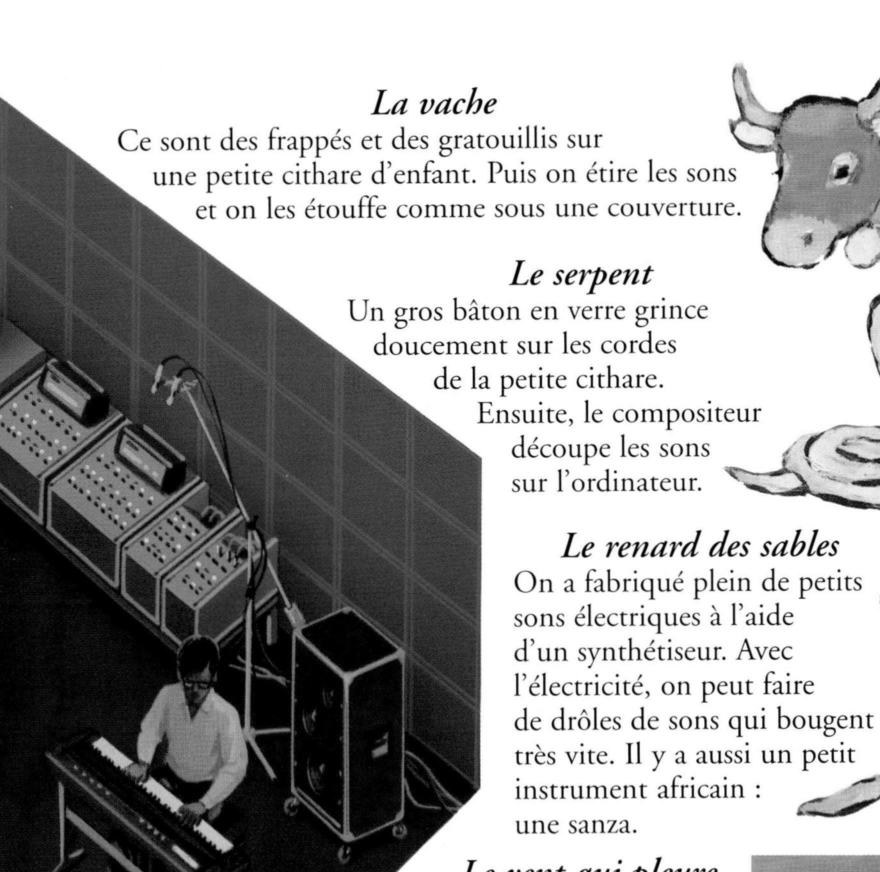

La vache

Ce sont des frappés et des gratouillis sur une petite cithare d'enfant. Puis on étire les sons et on les étouffe comme sous une couverture.

Le serpent

Un gros bâton en verre grince doucement sur les cordes de la petite cithare. Ensuite, le compositeur découpe les sons sur l'ordinateur.

Le renard des sables

On a fabriqué plein de petits sons électriques à l'aide d'un synthétiseur. Avec l'électricité, on peut faire de drôles de sons qui bougent très vite. Il y a aussi un petit instrument africain : une sanza.

Le vent qui pleure

Il y a un accordéoniste qui fait souffler très lentement son accordéon sans jouer de note. On entend l'air dans l'instrument et on dirait que ça respire.

Le tube de néon jaune

C'est trop compliqué pour pouvoir être expliqué ! Et c'est souvent comme ça dans cette musique ! On ne peut pas deviner comment c'est fait. Il n'y a plus qu'à écouter et à rêver…

Mes premières découvertes

Remerciements à Pierre-Marie Valat

Responsable éditoriale : Anne de Bouchony
Coordination musicale : Paule du Bouchet
Conseil pédagogique : Henriette Canac
Graphisme : Conce Forgia

ISBN : 2-07-051490-0

Dépôt légal : novembre 1997
Numéro d'édition : 82587
Imprimé en Italie par Editoriale Libraria
Loi n° 49-956 du 16 juillet 1949
sur les publications destinées à la jeunesse

Pour que tu sois encore plus fort en musique, voici un petit questionnaire. Lis bien les réponses, elles te diront « qui fait quoi ».

Qu'est-ce qu'un compositeur ?

Le compositeur est la personne qui écrit la musique.
Dans ce livre-disque, la musique est composée par **Philippe Mion.**

Qu'est-ce qu'un auteur ?

L'auteur est la personne qui invente une œuvre, par exemple, les paroles d'une chanson, une histoire que l'on met ensuite en musique...

Qu'est-ce qu'un éditeur ?

L'éditeur de musique fait imprimer les partitions du compositeur et se charge de les diffuser dans les librairies spécialisées.

Qu'est-ce que des droits d'auteurs ?

Un artiste n'est pas payé quand il vend son œuvre pour la première fois, mais il gagne un peu d'argent chaque fois que son œuvre est diffusée (à la radio, à la télévision, dans les disques, les cassettes, etc.).
Il touche alors ce qu'on appelle des ***droits d'auteurs.***

Qu'est-ce que la Sacem ?

La Sacem (Société des Auteurs, Compositeurs et Editeurs de Musique) est une société qui s'occupe de tous les artistes de la musique.
Elle veille à ce qu'ils soient payés à chaque fois que l'on utilise leur œuvre : c'est elle qui leur reverse leurs droits d'auteurs.
Ainsi ils peuvent vivre de leur art.